中华人民共和国行业标准

有色金属工业建筑工程质量检验评定统一标准

Unified standards for constructional quality inspection and assessment of nonferrous metal industrial building engineering

YS/T 5430 - 2016

主编部门：中 国 有 色 金 属 工 业 协 会
批准部门：中华人民共和国工业和信息化部
施行日期：2 0 1 6 年 9 月 1 日

中国计划出版社

2016 北 京

中华人民共和国行业标准
有色金属工业建筑工程质量
检验评定统一标准
YS/T 5430-2016
☆
中国计划出版社出版发行
网址：www.jhpress.com
地址：北京市西城区木樨地北里甲11号国宏大厦C座3层
邮政编码：100038 电话：(010) 63906433（发行部）
三河富华印刷包装有限公司印刷

850mm×1168mm 1/32 1.5印张 35千字
2017年3月第1版 2017年3月第1次印刷
印数1—3000册
☆
统一书号：155182·0028
定价：18.00元

中华人民共和国工业和信息化部

公　告

2016 年　第 17 号

工业和信息化部批准《不锈钢烧结网》等 587 项行业标准(标准编号、名称、主要内容及实施日期见附件 1),其中机械行业标准 156 项、汽车行业标准 35 项、船舶行业标准 33 项、制药装备行业标准 16 项、化工行业标准 45 项、冶金行业标准 35 项、有色金属行业标准 24 项、轻工行业标准 26 项、纺织行业标准 49 项、电子行业标准 72 项、通信行业标准 96 项;批准《铝合金 7A52 光谱单点标准样品》等 3 项有色金属行业标准样品(标准样品目录及成分含量表见附件 2),现予公布。行业标准样品自发布之日起实施。

以上机械行业标准由机械工业出版社出版,汽车行业标准由科学技术文献出版社出版,船舶行业标准由中国船舶工业综合技术经济研究院组织出版,制药装备行业标准和有色金属行业工程建设标准由中国计划出版社出版,化工行业标准由化工出版社出版,冶金行业标准由冶金工业出版社出版,有色金属、纺织行业标准由中国标准出版社出版,轻工行业标准由中国轻工业出版社出版,电子行业标准由工业和信息化部电子工业标准化研究院组织出版,通信行业标准由人民邮电出版社出版。

附件 1:587 项行业标准编号、名称、主要内容等一览表

附件 2:3 项有色金属行业标准样品目录及成分含量表

中华人民共和国工业和信息化部

2016 年 4 月 5 日

附件 1:

587 项行业标准编号、名称、主要内容等一览表

序号	标准编号	标准名称	标准主要内容	代替标准	采标情况	实施日期
……						
	有色金属行业					
……						
344	YS/T 5430-2016	有色金属工业建筑工程质量检验评定统一标准	本标准主要内容有:总则、基本规定、工程质量等级评定、工程质量检验评定的程序和组织等内容。 本标准适用于有色金属工业建筑工程质量检验评定。统一和规范了有色金属工业建筑工程质量检验评定的组织程序和验评方法,是有色金属工业建筑各专业工程质量等级确认程序和方法的统一准则			2016-09-01
……						

前　言

根据工业和信息化部《工业和信息化部办公厅关于印发2013年第二批行业标准制修订计划的通知》(工信厅科〔2013〕102号),《有色金属工业建筑工程质量检验评定统一标准》由有色金属工业建设工程质量监督总站、广西建工集团第三建筑工程有限责任公司会同相关有色金属工业建设工程监督站等有关单位共同编制完成。

本标准在修编过程中,进行了广泛的调查研究,总结了我国有色金属工业建筑工程质量检验评定的实践经验,并广泛征求了有关单位的意见,最后经审查定稿。

本标准共分4章和8个附录,主要内容包括总则、基本规定、工程质量等级评定、工程质量检验评定的程序和组织等。

本标准由中华人民共和国工业和信息化部负责管理,由中国有色金属工业工程建设标准规范管理处负责日常管理,由有色金属工业建设工程质量监督总站负责具体技术内容的解释。

本标准在执行过程中,请各单位注意总结经验,积累资料,如发现有需要修改和补充之处,请将意见反馈至有色金属工业建设工程质量监督总站(地址:北京市海淀区复兴路乙12号,邮政编码:100814),以供今后修订时参考。

本标准主编单位、参编单位、主要起草人和主要审查人:

主编单位:有色金属工业建设工程质量监督总站
广西建工集团第三建筑工程有限责任公司

参编单位:有色金属工业建设工程质量监督总站山东监督站
有色金属工业建设工程质量监督总站山西铝监督站
有色金属工业建设工程质量监督总站平果铝监督站

有色金属工业建设工程质量监督总站江西铜业监督站
有色金属工业建设工程质量监督总站金川监督站
有色金属工业建设工程质量监督总站铜陵监督站
有色金属工业建设工程质量监督总站长沙监督站
有色金属工业建设工程质量监督总站新疆监督站
有色金属工业建设工程质量监督总站广西监督站
有色金属工业建设工程质量监督总站兰州监督站
中国有色金属工业建设工程质量检测中心

主要起草人: 贾明星　蔡胜利　王化林　李清富　邹利广
孙建国　黄升垻　迟　湧　吕　轩　梁德初
温岳斌　周志荣　黄　澎　李荣健　栾文波
李　波　白利军　王祝岩　廖　玠　邱更生
彭志平　刘鹏飞　徐红兵　吴煦平　翟　岭
姜　芳　杨保平　郑大明　王兆锦　李　东

主要审查人: 何忠茂　王放初　单德海　蒋　锋　张劲松
丁学锋　张志强　陈建平　江　嵩　李　汇
吴建国

目　　次

Contents

1 总　　则

1.0.1 为适应我国有色金属工业发展的需要,规范和统一有色金属工业建筑工程质量检验评定,确保工程质量,促进创建优质工程,制定本标准。

1.0.2 本标准适用于有色金属工业建筑工程质量检验评定。

1.0.3 有色金属工业建筑工程的质量检验评定除应符合本标准外,尚应符合国家现行有关标准的规定。

2 基本规定

2.0.1 施工现场应具有健全的质量管理体系、相应的施工技术标准、施工质量检验制度和综合施工质量水平评定考核制度。

施工现场质量管理应按本标准附录A的要求进行检查记录。

2.0.2 施工质量控制及检验评定应符合下列规定：

1 工程采用的主要材料、半成品、成品、构配件、器具和设备应进行进场检验。凡涉及安全、节能、环境保护和主要使用功能的重要材料，应按各专业工程施工规范、验收规范和设计文件等规定进行复验，并应经监理工程师检查认可。

2 各施工工序应按施工技术标准进行质量控制，每道工序完成后，应经施工单位自检符合规定后，才能进行下道工序施工。相关各专业工种之间的交接检验应形成记录。

3 监理单位提出检查要求的重要工序，应经监理工程师检查认可，才能进行下道工序施工。

4 工程质量检验评定均应在施工单位自检评定的基础上进行。

5 隐蔽工程在隐蔽前应由施工单位通知有关单位进行验收，并应同步形成验收文件。

6 涉及结构安全、节能、环境保护和主要使用功能的试块、试件及材料，应按规定进行见证取样检验。

7 对涉及结构安全、节能、环境保护和使用功能的重要分部工程应在验收前按规定进行抽样检验。

8 承担见证取样检测及有关结构安全检测的单位应具有相应资质。

2.0.3 有色金属工业建筑工程实行单位工程质量等级核定制度，

质量等级分为合格和优良两个等级。

2.0.4 参加工程施工质量检验评定的各方人员应具备规定的资格;未实行监理的工程,建设单位相关人员应履行本标准涉及的监理职责。

2.0.5 检验批的质量检验评定的划分宜符合国家标准《建筑工程施工质量验收统一标准》GB 50300 相应条款的有关规定。

2.0.6 检验批的质量检验抽样应符合国家标准《建筑工程施工质量验收统一标准》GB 50300 相应条款的有关规定。

3 工程质量等级评定

3.0.1 检验批质量等级应符合下列规定：

1 合格：

1)主控项目应符合现行国家标准《建筑工程施工质量验收统一标准》GB 50300 的有关规定。

2)一般项目中的检验项目应符合国家标准《建筑工程施工质量验收统一标准》GB 50300 的规定。每一检测项目的抽检计数点数中有 80%以上的实测值在标准规定的允许范围内，其余实测值不应超过相应质量标准的 1.5 倍，其中钢结构的实测值不应超过相应质量标准的 1.2 倍。

3)应有完整的施工操作依据、质量检查记录及相关检测记录。

2 优良：

1)主控项目应符合现行国家标准《建筑工程施工质量验收统一标准》GB 50300 的有关规定。

2)一般项目中的检验项目应符合国家标准《建筑工程施工质量验收统一标准》GB 50300 的有关规定。每一检测项目的抽检计数点数中有 90%以上的实测值在标准规定的允许范围内，其余实测值(含钢结构)同本条第 1 款中合格的规定。

3)应有完整的施工操作依据、质量检查记录及相关检测记录。

3.0.2 分项工程的质量等级应符合下列规定：

1 合格：

1)所含检验批均应验评合格。

2）所含检验批的质量检验评定记录均应完整。

2 优良：

1）所含检验批均应验评合格，其中有60%以上的检验批质量符合本标准中优良质量标准的规定。

2）所含检验批的质量检验评定记录应完整。

3.0.3 分部工程的质量等级应符合下列规定：

1 合格：

1）所含分项工程质量均应验评合格。

2）质量控制资料应完整。

3）有关安全、节能、环境保护和主要使用功能的抽样检验结果应符合相应规定。

4）观感质量得分率应在70%以上。

2 优良：

1）所含分项工程质量均应验评合格，其中有60%以上的分项工程质量符合本标准中优良质量标准的规定。

2）质量控制资料应完整。

3）有关安全、节能、环境保护和主要使用功能的抽样检验结果应符合相应规定。

4）观感质量得分率应在85%以上。

3.0.4 单位工程质量等级应符合下列规定：

1 合格：

1）所含分部工程的质量均应验评合格。

2）质量控制资料应完整。

3）所含分部工程有关安全、节能、环境保护和主要使用功能的检验资料应完整。

4）主要使用功能的抽查结果应符合相关专业验收规范的规定。

5）观感质量得分率应在70%以上。

2 优良：

1)所含分部工程的质量均应验评合格，其中有60%以上的分部工程质量符合本标准中优良标准的规定，地基与基础、主体结构、装饰装修、建筑节能和建筑设备安装分部工程应符合本标准中优良质量标准的规定。

2)质量控制资料应完整。

3)所含分部工程有关安全、节能、环境保护和主要使用功能的检验资料应完整。

4)主要使用功能的抽查结果应符合相关专业验收规范的规定。

5)观感质量得分率应在85%以上。

3.0.5 建筑工程质量检验评定记录应符合下列规定：

1 检验批质量检验评定应按本标准附录B进行记录。

2 分项工程质量检验评定应按本标准附录C进行记录。

3 分部工程质量检验评定应按本标准附录D进行记录。

4 建筑工程单位工程质量等级综合评定应按本标准附录E进行记录。

3.0.6 当工程质量不符合要求时，应按下列规定进行处理：

1 经返工重做或更换器具、设备的检验批，应重新进行质量检验评定。

2 经有资质的检测单位检测鉴定能够达到设计要求的检验批，质量可评定为合格。

3 经有相应资质的检测单位鉴定达不到设计要求，但经原设计单位核算认可能够满足结构安全和使用功能的检验批，质量仅能评定为合格。

4 经返修或加固补强处理的分项、分部工程，满足安全及使用要求时，可按技术处理方案和协商文件进行评定，质量仅能定为合格。

3.0.7 通过返修或加固补强处理仍不能满足安全或重要使用要求的分部工程、单位工程严禁验评。

4 工程质量检验评定的程序和组织

4.0.1 检验批应由专业监理工程师组织施工单位项目专业质量检查员、专业工长等进行检验评定。

4.0.2 分项工程应由专业监理工程师组织施工单位专业技术负责人等进行检验评定。

4.0.3 分部工程质量应由总监理工程师或总监代表组织施工单位项目负责人和项目技术负责人等进行检验评定。

勘察、设计单位项目负责人和施工单位技术、质量部门负责人应参加地基与基础分部工程的验收检验评定。

设计单位项目负责人和施工单位技术、质量部门负责人应参加主体结构、节能及涉及结构安全和使用功能分部工程的验收检验评定。

4.0.4 单位工程完工后,施工单位应组织有关人员进行工程质量等级自评。

4.0.5 建设单位收到竣工报告后,应由建设单位项目负责人组织监理、施工、设计、勘察等单位项目负责人进行单位工程验收。

单位工程竣工验收证书应按本标准附录 F 填写。

4.0.6 由总监理工程师组织,建设单位参加对施工单位自评后的单位工程的工程质量等级进行综合评定。单位工程质量等级评定完成后,由施工单位向有色工程质量监督站提交单位工程质量等级核定申请表,申请质量等级核定。有色工程质量监督站收到施工单位提交的工程质量等级核定申请后,组织单位工程的质量等级核定,签署核定意见。

单位工程质量等级核定申请表应按本标准附录 G 填写。单位工程质量等级核定应按本标准附录 H 核定和记录。

4.0.7 当工程实行工程总承包或单位工程有分包单位施工时，总包单位应按本标准的规定参加分部及单位工程的质量检验评定。

附录A 施工现场质量管理检查记录

表A 施工现场质量管理检查记录

检查日期：

<table>
<tr><td colspan="2">项目名称</td><td colspan="3"></td><td>开工日期</td><td></td></tr>
<tr><td colspan="2">建设单位</td><td colspan="3"></td><td>项目负责人</td><td></td></tr>
<tr><td colspan="2">设计单位</td><td colspan="3"></td><td>项目负责人</td><td></td></tr>
<tr><td colspan="2">监理单位</td><td colspan="3"></td><td>总监理工程师</td><td></td></tr>
<tr><td colspan="2">工程总承包单位</td><td></td><td>项目负责人</td><td></td><td>施工经理</td><td></td></tr>
<tr><td colspan="2">施工单位</td><td></td><td>项目负责人</td><td></td><td>项目技术负责人</td><td></td></tr>
<tr><td>序号</td><td colspan="2">检查项目</td><td colspan="3">检查内容及方法</td><td>施工单位自检</td></tr>
<tr><td>1</td><td colspan="2">管理制度及实施</td><td colspan="3">检查各岗位质量责任制、质量检验制、分包及劳务管理制、会议制度、综合施工质量水平评定考核制度是否健全，实施情况如何</td><td>□符合 □不符合</td></tr>
<tr><td>2</td><td colspan="2">质量计划及实施</td><td colspan="3">检查计划的编制是否周密、可行并认真组织实施</td><td>□符合 □不符合</td></tr>
<tr><td>3</td><td colspan="2">施工现场采用的标准</td><td colspan="3">检查施工现场采用的标准是否是国家和行业的现行版本（包括企业标准）</td><td>□符合 □不符合</td></tr>
<tr><td>4</td><td colspan="2">图纸会审及设计交底记录</td><td colspan="3">检查是否组织了图纸会审及设计交底，有否记录</td><td>□符合 □不符合</td></tr>
<tr><td>5</td><td colspan="2">地质勘察资料</td><td colspan="3">检查是否有具备资质的地质勘察单位出具的地质勘察报告</td><td>□符合 □不符合</td></tr>
<tr><td>6</td><td colspan="2">施工组织设计、施工方案、专项方案及审批</td><td colspan="3">检查编制与审批程序以及内容是否符合规范要求，是否认真组织了交底</td><td>□符合 □不符合</td></tr>
</table>

续表 A

序号	检查项目	检查内容及方法	施工单位自检
7	参加工程质量检验的人员	检查各专业质量检验人员的资格证书是否合法有效	□符合　□不符合
8	主要专业工种及特种作业人员	检查其操作上岗证书是否合法有效	□符合　□不符合
9	检测机构、试验室及计量器具	检查单位资质、人员资格是否合法有效；管理制度是否健全，实施是否到位；计量器具是否经检定合格并在有效期内使用	□符合　□不符合
10	搅拌站	检查单位资质、人员资格及管理制度是否合法有效，是否健全，运行是否正常	□符合　□不符合
11	现场材料、设备管理	材料与设备管理制度是否健全，实施是否到位	□符合　□不符合
12	项目文档（项目信息）管理	检查管理体系的建立和运行情况	□符合　□不符合

施工单位项目负责人签字：	工程总承包单位施工经理签字：	检查结论：□符合　□不符合
年　月　日	年　月　日	总监理工程师签字： 年　月　日

注：1　本记录由施工单位项目负责人组织自检填写并贯彻落实，实行工程总承包单位的施工经理应审查签字，总监理工程师（建设单位项目负责人）组织动态核实做出结论，并督促整改完善。

2　对存在问题可附页记录。

附录B　检验批质量检验评定记录

表B ______检验批工程质量检验评定记录

编号：

<table>
<tr><td colspan="4">单位工程名称</td><td colspan="4"></td></tr>
<tr><td colspan="4">分部工程名称</td><td colspan="2"></td><td>分项工程名称</td><td></td></tr>
<tr><td colspan="4">施工单位</td><td colspan="2"></td><td>项目负责人</td><td></td></tr>
<tr><td colspan="4">分包施工单位</td><td colspan="2"></td><td>检验批部位</td><td></td></tr>
<tr><td colspan="4">分包单位项目负责人</td><td colspan="2"></td><td>施工班组长</td><td></td></tr>
<tr><td rowspan="6">主控项目</td><td>编号</td><td colspan="3">设计要求及规范的规定</td><td colspan="2">施工单位检查评定记录</td><td>监理单位验评记录</td></tr>
<tr><td></td><td colspan="3"></td><td colspan="2">□符合　□不符合</td><td>□符合　□不符合</td></tr>
<tr><td></td><td colspan="3"></td><td colspan="2">□符合　□不符合</td><td>□符合　□不符合</td></tr>
<tr><td></td><td colspan="3"></td><td colspan="2">□符合　□不符合</td><td>□符合　□不符合</td></tr>
<tr><td></td><td colspan="3"></td><td></td><td>□符合
□不符合</td><td>□符合　□不符合</td></tr>
<tr><td></td><td colspan="3"></td><td></td><td>□符合
□不符合</td><td>□符合　□不符合</td></tr>
<tr><td rowspan="8">一般项目</td><td></td><td colspan="3"></td><td colspan="2">□符合　□不符合</td><td>□符合　□不符合</td></tr>
<tr><td></td><td colspan="3"></td><td colspan="2">□符合　□不符合</td><td>□符合　□不符合</td></tr>
<tr><td></td><td colspan="3"></td><td colspan="2">□符合　□不符合</td><td>□符合　□不符合</td></tr>
<tr><td rowspan="2"></td><td rowspan="2">项次</td><td rowspan="2">项目</td><td rowspan="2">允许偏差（mm）</td><td>施工单位检测记录</td><td rowspan="2">自评</td><td rowspan="2">监理单位验评记录</td></tr>
<tr><td>实测偏差值（mm）</td></tr>
<tr><td></td><td></td><td></td><td></td><td></td><td>合格点率　%</td><td>合格点率　%</td></tr>
<tr><td></td><td></td><td></td><td></td><td></td><td>合格点率　%</td><td>合格点率　%</td></tr>
<tr><td></td><td></td><td></td><td></td><td></td><td>合格点率　%</td><td>合格点率　%</td></tr>
</table>

续表 B

<table>
<tr><td rowspan="2">检验结果</td><td>主控项目</td><td colspan="2">检查　项,其中　项符合规范规定</td></tr>
<tr><td>一般项目</td><td colspan="2">检验项目共查　项,其中　项符合规范规定;
允许偏差项目共查　项,其中合格点率达 90 %以上者　项</td></tr>
<tr><td colspan="3">施工单位评定:
□ 优良　□ 合格
施工单位项目专业质量检验员签字:

施工单位项目技术负责人签字:

年　月　日</td><td>监理(建设)单位验评:
□ 优良　□合格
专业监理工程师签字:

(建设单位技术负责人)签字:

年　月　日</td></tr>
</table>

注:1　"检验评定标准或允许偏差"一栏可以根据各检验批实际情况,并对照检验标准进行评定。检测数量不够填列的,按两排实测表格设置。

2　应根据主控项目、一般项目检验项目的工序、检验批要求编制检验批评定表。

3　"自评"一栏未确定评定选项的,应按检验评定标准及检验情况,按"符合、不符合"或"合格、优良"的等级进行自评。其中,主控项目实测值应全数达到合格标准,方能评定为"符合",否则判定为"不符合";一般项目按评定标准判定为"合格或优良"。

4　一般项目中的检验项目,应根据不同的评定内容和验收要求,明确规定合格率以判定合格和优良的标准。

附录C　分项工程质量检验评定记录

表C ______分项工程质量检验评定记录

编号：

单位工程名称			
分部工程名称		分项工程名称	
施工单位		项目负责人	
分包单位		分包项目负责人	
序号	检验批部位、区段	施工单位评定	监理单位验评
		□优良　□合格	□优良　□合格
		□优良　□合格	□优良　□合格
		□优良　□合格	□优良　□合格
		□优良　□合格	□优良　□合格
		□优良　□合格	□优良　□合格
		□优良　□合格	□优良　□合格
		□优良　□合格	□优良　□合格
		□优良　□合格	□优良　□合格
		□优良　□合格	□优良　□合格
		□优良　□合格	□优良　□合格
		□优良　□合格	□优良　□合格
		□优良　□合格	□优良　□合格
		□优良　□合格	□优良　□合格
		□优良　□合格	□优良　□合格
		□优良　□合格	□优良　□合格
		□优良　□合格	□优良　□合格
		□优良　□合格	□优良　□合格
		□优良　□合格	□优良　□合格
		□优良　□合格	□优良　□合格
检验评定结果	共　检验批，其中合格检验批　项，优良检验批　项，优良率　%		
施工单位评定： □合格　□优良 项目专业技术负责人签字： 年　月　日		监理单位验评： □合格　□优良 专业监理工程师签字： 年　月　日	

附录D 分部工程质量检验评定记录

表D ______分部工程质量检验评定记录

编号：

<table>
<tr><td>单位工程名称</td><td colspan="7"></td></tr>
<tr><td>施工单位</td><td></td><td>项目负责人</td><td></td><td>技术(质量)负责人</td><td colspan="3"></td></tr>
<tr><td>分包单位</td><td></td><td>分包单位负责人</td><td></td><td>分包技术负责人</td><td colspan="3"></td></tr>
<tr><td>序号</td><td colspan="2">分项工程名称</td><td>检验批数</td><td colspan="2">施工单位评定</td><td colspan="2">监理单位验评</td></tr>
<tr><td></td><td colspan="2"></td><td></td><td>□合格</td><td>□优良</td><td>□合格</td><td>□优良</td></tr>
<tr><td></td><td colspan="2"></td><td></td><td>□合格</td><td>□优良</td><td>□合格</td><td>□优良</td></tr>
<tr><td></td><td colspan="2"></td><td></td><td>□合格</td><td>□优良</td><td>□合格</td><td>□优良</td></tr>
<tr><td></td><td colspan="2"></td><td></td><td>□合格</td><td>□优良</td><td>□合格</td><td>□优良</td></tr>
<tr><td></td><td colspan="2"></td><td></td><td>□合格</td><td>□优良</td><td>□合格</td><td>□优良</td></tr>
<tr><td></td><td colspan="2"></td><td></td><td>□合格</td><td>□优良</td><td>□合格</td><td>□优良</td></tr>
<tr><td></td><td colspan="2"></td><td></td><td>□合格</td><td>□优良</td><td>□合格</td><td>□优良</td></tr>
<tr><td></td><td colspan="2"></td><td></td><td>□合格</td><td>□优良</td><td>□合格</td><td>□优良</td></tr>
<tr><td rowspan="5">检验评定结果</td><td>质量控制资料</td><td colspan="3">共 项，经自查符合要求 项</td><td colspan="3">共 项，经检查符合要求 项</td></tr>
<tr><td>安全和使用功能抽样检验</td><td colspan="3">共检查 项，符合要求 项</td><td colspan="3">共抽检 项，符合要求 项</td></tr>
<tr><td>观感质量得分率</td><td colspan="3"></td><td colspan="3"></td></tr>
<tr><td>分项工程评定</td><td colspan="3">该分部工程共 分项，
其中 项合格， 项优良，
优良率 %</td><td colspan="3">该分部工程共 分项，
其中 项合格， 项优良，
优良率 %</td></tr>
<tr><td>分部工程质量等级</td><td colspan="3">□合格 □优良
项目负责人签字：
年 月 日</td><td colspan="3">□合格 □优良
总监理工程师或总监代表签字：
年 月 日</td></tr>
<tr><td rowspan="6">参加验收单位</td><td>分包单位</td><td colspan="6">项目负责人签字： 年 月 日</td></tr>
<tr><td>施工单位</td><td colspan="6">项目负责人签字： 年 月 日</td></tr>
<tr><td>勘察单位</td><td colspan="6">项目负责人签字： 年 月 日</td></tr>
<tr><td>设计单位</td><td colspan="6">项目负责人签字： 年 月 日</td></tr>
<tr><td>工程总承包单位</td><td colspan="6">施工经理签字： 年 月 日</td></tr>
<tr><td>监理单位</td><td colspan="6">总监理工程师或总监代表签字： 年 月 日</td></tr>
</table>

注：质量控制资料、安全和使用功能抽样检验、观感质量得分率分别参照表E.0.1-2、表E.0.1-3、表E.0.1-4记录。

附录E 建筑单位工程质量综合评定记录

E.0.1 单位工程质量综合评定应按表E.0.1-1记录，单位工程质量控制资料及主要功能抽查核查应按表E.0.1-2记录，单位工程安全和功能检验资料核查应按表E.0.1-3记录，单位工程观感质量评定应按表E.0.1-4记录。

E.0.2 参加单位工程质量综合评定的签字人员应有相应单位法人代表的书面授权。

表E.0.1-1 ______建筑单位工程质量综合评定记录

项目名称		结构类型		层数/建筑面积	
施工单位		技术负责人		开工日期	
项目负责人		项目技术负责人		竣工日期	

序号	分部工程名称	施工单位评定	监理单位验评
		□合格 □优良	□合格 □优良
		□合格 □优良	□合格 □优良
		□合格 □优良	□合格 □优良
		□合格 □优良	□合格 □优良
		□合格 □优良	□合格 □优良
		□合格 □优良	□合格 □优良
		□合格 □优良	□合格 □优良
		□合格 □优良	□合格 □优良
		□合格 □优良	□合格 □优良
		□合格 □优良	□合格 □优良
综 合 汇 总			
1	分部工程质量评定汇总	共 分部， 其中优良 分部， 优良率 %	共 分部， 其中优良 分部， 优良率 %

续表 E.0.1-1

<table>
<tr><td colspan="4">综 合 汇 总</td></tr>
<tr><td>2</td><td>质量控制资料核查</td><td>共 项，经自查符合要求 项</td><td>共 项，经检查符合要求 项</td></tr>
<tr><td>3</td><td>安全和使用功能检验资料核查及主要功能抽查结果</td><td>共核查 项，符合要求 项
共抽查 项，符合要求 项
经返工处理符合要求 项</td><td>共核查 项，符合要求 项
共抽查 项，符合要求 项
经返工处理符合要求 项</td></tr>
<tr><td>4</td><td>观感质量评定</td><td>自评得分率 %</td><td>验评得分率 %</td></tr>
<tr><td colspan="2">施工单位评定等级：
□合格 □优良

（公章）

项目负责人签字：

年 月 日</td><td colspan="2">工程总承包单位评定等级：
□合格 □优良

（公章）

项目负责人签字：

年 月 日</td></tr>
<tr><td colspan="2">监理单位评定等级：
□合格 □优良

（公章）

总监理工程师签字：

年 月 日</td><td colspan="2">建设单位意见：
□合格 □优良

（公章）

项目负责人签字：

年 月 日</td></tr>
</table>

表 E.0.1-2 建筑单位工程质量控制资料核查记录

项目名称							
单位工程名称			施工单位				
序号	项目	资料名称	份数	施工单位		监理单位	
				核查意见	核查人	核查意见	核查人
1	建筑与结构	图纸会审、设计变更、洽商记录					
2		工程定位测量、放线记录					
3		原材料出厂合格证书及进场检(试)验报告					
4		施工材料报告及见证检测报告					
5		隐蔽工程验收记录					
6		施工记录					
7		预制构件、预拌混凝土合格证					
8		地基与基础、主体结构检验及抽样检测资料					
9		分项、分部工程质量验评记录					
10		工程质量事故及事故调查处理资料					
11		新材料、新工艺施工记录					
12		建筑物沉降观测测量记录					
1	给排水与供暖	图纸会审、设计变更、洽商记录					
2		材料、配件出厂合格证书及进场检(试)验报告					
3		管道、设备强度试验、严密性试验记录					
4		隐蔽工程验收记录					
5		系统清洗、灌水、通水、通球试验记录					
6		施工记录					
7		分项、分部工程质量验收(评定)记录					
8		新材料、新工艺施工记录					

续表 E.0.1-2

序号	项目	资料名称	份数	施工单位		监理单位	
				核查意见	核查人	核查意见	核查人
1	建筑电气	图纸会审、设计变更、洽商记录					
2		材料、配件出厂合格证书及进场检(试)验报告					
3		设备调试记录					
4		接地、绝缘电阻测试记录					
5		隐蔽工程验收记录					
6		施工记录					
7		分项、分部工程质量验收(评定)记录					
8		新材料、新工艺施工记录					
1	智能建筑	图纸会审、设计变更、洽商记录、竣工图及设计说明					
2		材料、设备出厂合格证、技术文件及进场检(试)验报告					
3		隐蔽工程核验记录					
4		系统功能测定及设备调试记录					
5		系统技术、操作和维护手册					
6		系统管理、操作人员培训记录					
7		系统检测报告					
8		分项、分部工程质量检验(评定)记录					
9		新材料、新工艺施工记录					
1	通风与空调	图纸会审、设计变更、洽商记录					
2		材料、设备出厂合格证书及进场检(试)验报告					
3		制冷、空调、管道强度试验、严密性试验记录					
4		隐蔽工程验收记录					
5		制冷设备运行调试记录					
6		通风、空调系统调试记录					
7		施工记录					
8		分项、分部工程质量检验(评定)记录					
9		新材料、新工艺施工记录					

续表 E.0.1-2

序号	项目	资料名称	份数	施工单位		监理单位	
				核查意见	核查人	核查意见	核查人
1	建筑节能	图纸会审、设计变更、洽商记录					
2		材料、设备出厂合格证书及进场检（试）验报告					
3		隐蔽工程验收记录					
4		施工记录					
5		外墙、外窗节能检验报告					
6		设备系统节能检测报告					
7		分项、分部工程质量检验（评定）记录					
8		新材料、新工艺施工记录					
1	电梯	土建布置图纸会审、设计变更、洽商记录					
2		设备出厂合格证书及开箱检验记录					
3		隐蔽工程验收记录					
4		施工记录					
5		接地、绝缘电阻测试记录					
6		负荷试验、安全装置检查记录					
7		分项、分部工程质量检验（评定）记录					
8		新材料、新工艺施工记录					

结论：		
施工单位项目负责人签字： 年　月　日	工程总承包单位施工经理签字： 年　月　日	总监理工程师签字： 年　月　日

表 E.0.1-3　单位工程安全和功能检验资料核查及主要功能抽查记录

<table>
<tr><td>项目名称</td><td colspan="6"></td></tr>
<tr><td colspan="2">单位工程名称</td><td></td><td>施工单位</td><td colspan="3"></td></tr>
<tr><td>序号</td><td>项目</td><td>安全和功能检查项目</td><td>份数</td><td>资料核查意见</td><td>功能抽查结果</td><td>核查(抽查)人</td></tr>
<tr><td>1</td><td rowspan="16">建筑与结构</td><td>地基承载力检验报告</td><td></td><td></td><td></td><td rowspan="16"></td></tr>
<tr><td>2</td><td>桩基承载力检验报告</td><td></td><td></td><td></td></tr>
<tr><td>3</td><td>混凝土强度试验报告</td><td></td><td></td><td></td></tr>
<tr><td>4</td><td>砂浆强度试验报告</td><td></td><td></td><td></td></tr>
<tr><td>5</td><td>主体结构尺寸、位置抽查记录</td><td></td><td></td><td></td></tr>
<tr><td>6</td><td>建筑物垂直度、标高、全高测量记录</td><td></td><td></td><td></td></tr>
<tr><td>7</td><td>屋面淋水或蓄水试验记录</td><td></td><td></td><td></td></tr>
<tr><td>8</td><td>地下室渗漏水检测记录</td><td></td><td></td><td></td></tr>
<tr><td>9</td><td>有防水要求的地面蓄水试验记录</td><td></td><td></td><td></td></tr>
<tr><td>10</td><td>抽气(风)道检查记录</td><td></td><td></td><td></td></tr>
<tr><td>11</td><td>外窗气密性、水密性、耐风压检测报告</td><td></td><td></td><td></td></tr>
<tr><td>12</td><td>幕墙气密性、水密性、耐风压检测报告</td><td></td><td></td><td></td></tr>
<tr><td>13</td><td>建筑物沉降观测测量记录</td><td></td><td></td><td></td></tr>
<tr><td>14</td><td>节能、保温测试记录</td><td></td><td></td><td></td></tr>
<tr><td>15</td><td>室内环境检测报告</td><td></td><td></td><td></td></tr>
<tr><td>16</td><td>土壤氡气浓度检测报告</td><td></td><td></td><td></td></tr>
<tr><td>1</td><td rowspan="6">给排水与供暖</td><td>给水管道通水试验记录</td><td></td><td></td><td></td><td rowspan="6"></td></tr>
<tr><td>2</td><td>暖气管道、散热器压力试验记录</td><td></td><td></td><td></td></tr>
<tr><td>3</td><td>卫生器具满水试验记录</td><td></td><td></td><td></td></tr>
<tr><td>4</td><td>消防管道、燃气管道压力试验记录</td><td></td><td></td><td></td></tr>
<tr><td>5</td><td>排水干管通球试验记录</td><td></td><td></td><td></td></tr>
<tr><td>6</td><td>锅炉试运行、安全阀及报警联动测试记录</td><td></td><td></td><td></td></tr>
</table>

续表 E.0.1-3

<table>
<tr><th>序号</th><th>项目</th><th>安全和功能检查项目</th><th>份数</th><th>资料核查意见</th><th>功能抽查结果</th><th>核查(抽查)人</th></tr>
<tr><td>1</td><td rowspan="7">建筑电气</td><td>建筑照明通电试运行记录</td><td></td><td></td><td></td><td rowspan="7"></td></tr>
<tr><td>2</td><td>灯具固定装置及悬吊装置的载荷强度试验记录</td><td></td><td></td><td></td></tr>
<tr><td>3</td><td>绝缘电阻测试记录</td><td></td><td></td><td></td></tr>
<tr><td>4</td><td>剩余电流动作保护器测试记录</td><td></td><td></td><td></td></tr>
<tr><td>5</td><td>应急电器装置应急持续供电记录</td><td></td><td></td><td></td></tr>
<tr><td>6</td><td>接地电阻测试记录</td><td></td><td></td><td></td></tr>
<tr><td>7</td><td>接地故障回路阻抗测试记录</td><td></td><td></td><td></td></tr>
<tr><td>1</td><td rowspan="3">智能建筑</td><td>系统试运行记录</td><td></td><td></td><td></td><td rowspan="3"></td></tr>
<tr><td>2</td><td>系统电源及接地测试报告</td><td></td><td></td><td></td></tr>
<tr><td>3</td><td>系统接地测试报告</td><td></td><td></td><td></td></tr>
<tr><td>1</td><td rowspan="5">通风与空调</td><td>通风、空调系统运行记录</td><td></td><td></td><td></td><td rowspan="5"></td></tr>
<tr><td>2</td><td>风量、温度测试记录</td><td></td><td></td><td></td></tr>
<tr><td>3</td><td>空气能量回收装置测试记录</td><td></td><td></td><td></td></tr>
<tr><td>4</td><td>洁净室洁净度测试记录</td><td></td><td></td><td></td></tr>
<tr><td>5</td><td>制冷机组试运行调试记录</td><td></td><td></td><td></td></tr>
<tr><td>1</td><td rowspan="2">建筑节能</td><td>外墙节能构造检查记录或热工性能检验报告</td><td></td><td></td><td></td><td rowspan="2"></td></tr>
<tr><td>2</td><td>设备系统节能性能检查记录</td><td></td><td></td><td></td></tr>
<tr><td>1</td><td rowspan="2">电梯</td><td>电梯运行记录</td><td></td><td></td><td></td><td rowspan="2"></td></tr>
<tr><td>2</td><td>电梯安全装置检测报告</td><td></td><td></td><td></td></tr>
<tr><td colspan="7">结论：</td></tr>
<tr><td colspan="3">施工单位项目负责人签字：

年　月　日</td><td colspan="3">工程总承包单位施工经理签字：

年　月　日</td><td>总监理工程师签字：

年　月　日</td></tr>
</table>

表 E.0.1-4 ______工程观感质量评定记录

项目名称												
施工单位				工程总承包单位								
序号		项 目 名 称	标准分	实际得分								得分率%
				各参评人员打分分值							平均分	
1	建筑与结构	主体结构外观	10									
2		室外墙面	10									
3		变形缝雨水管	10									
4		屋面	10									
5		室内墙面	10									
6		室内顶棚	10									
7		室内地面	10									
8		楼梯、踏步、护栏	10									
9		门窗	10									
10		雨罩、台阶、坡道、散水	10									
11		共查( )项,其中( )需返修;最终得分率( )%										
1	给水排水与供暖	管道接口、坡度、支架	10									
2		卫生器具、支架、阀门	10									
3		检查口、扫除口、地漏	10									
4		散热器、支架	10									
		共查( )项,其中( )需返修;最终得分率( )%										
1	通风与空调	风管、支架	10									
2		风口、风阀	10									
3		风机、空调设备	10									
4		管道、阀门、支架	10									
5		水泵、冷却塔	10									
6		绝热	10									
7		共查( )项,其中( )需返修;最终得分率( )%										
1	建筑电气	配电箱、盘、板、接线盒	10									
2		设备器具、开关、插座	10									
3		防雷、接地、防火	10									
4		共查( )项,其中( )项需返修;最终得分率( )%										

续表 E.0.1-4

序号	项目名称		标准分	实际得分								得分率%
				各参评人员打分分值							平均分	
1	智能建筑	机房设备安装及布局	10									
2		现场设备安装	10									
3		共查（ ）项，其中（ ）项需返修；最终得分率（ ）%										
1	电梯	运行、平层、开关门	10									
2		层门、信号系统										
3		机房										
4		共查（ ）项，其中（ ）需返修；最终得分率（ ）%										
结论		共查（ ）项，其中（ ）项需返修；单位工程得分率（ ）%										
参评人员签字：												
施工单位项目负责人签字： 年 月 日				工程总承包单位施工经理签字： 年 月 日					总监理工程师签字： 年 月 日			

注：1 观感质量由总监理工程师组织参验各方共同检查且不得少于3人。

2 得分率低于70%的项应进行返修处理。得分率＝平均分/标准分。

3 现场检查的原始记录应作为本表附件。

附录F　交(竣)工验收证书

表F ______交(竣)工验收证书

<table>
<tr><td>工程名称</td><td colspan="3"></td><td>工程编号</td><td></td></tr>
<tr><td>结构类型</td><td></td><td>建筑层数/面积</td><td></td><td>工程造价</td><td></td></tr>
<tr><td>开工日期</td><td></td><td>交(竣)工日期</td><td></td><td>验收日期</td><td></td></tr>
<tr><td colspan="6">工程简要内容及工程量:</td></tr>
<tr><td>验收结论</td><td colspan="2"></td><td>遗留问题</td><td colspan="2"></td></tr>
<tr><td colspan="2">施工单位:
(公章)

项目负责人签字:

年　月　日</td><td colspan="2">设计单位:
(公章)

项目负责人签字:

年　月　日</td><td colspan="2">建设单位:
(公章)

项目负责人签字:

年　月　日</td></tr>
<tr><td colspan="2">使用单位:
(公章)

项目负责人签字:

年　月　日</td><td colspan="2">监理单位:
(公章)

总监理工程师签字:

年　月　日</td><td colspan="2">工程质量监督站:
(公章)

监督站站长签字:

年　月　日</td></tr>
</table>

附录G 建筑单位工程质量等级核定申请表

表G ______建筑单位工程质量等级核定申请表

<table>
<tr><td>项目名称</td><td colspan="3"></td></tr>
<tr><td>合同开工日期</td><td></td><td>实际开工日期</td><td></td></tr>
<tr><td>合同竣工日期</td><td></td><td>实际竣工日期</td><td></td></tr>
<tr><td colspan="4">________监督站：
由我单位承包施工的__________等____项单位工程已按照合同和图纸要求施工完成。
__________(监理单位)和__________(建设单位)已组织了验收和质量综合评定。现根据规定向贵站申请单位工程质量等级核定。
附件清单：</td></tr>
<tr><td colspan="2">施工单位项目负责人签字：

(公章)
年 月 日</td><td colspan="2">工程总承包单位施工经理签字：

(公章)
年 月 日</td></tr>
</table>

注：附件应包括单位工程质量综合评定表、分部工程质量检验评定记录、单位工程质量控制文件检查记录、单位工程观感质量评定记录等。

附录H 建筑单位工程质量等级核定表

表 H ______建筑单位工程质量等级核定表

项目名称		开竣工日期	
建设单位		项目负责人	
监理单位		总监理工程师	
施工单位		项目负责人	

序号	项目	核定情况	质量监督工程师 （签字）
1	分部工程质量统计汇总	该单位工程共　分部 其中优良　分部 优良率　% 地基与基础分部质量等级：□优良　□合格 主体结构分部质量等级：□优良　□合格 装饰装修分部质量等级：□优良　□合格 建筑节能分部质量等级：□优良　□合格 主要安装分部质量等级：□优良　□合格	
2	质量控制资料监督抽查结果	共　项 经监督抽查　项 符合要求　项	
3	安全和使用功能检验资料核查及主要功能抽查结果	共核查　项 符合要求　项 共抽查　项 符合要求　项 经返工处理符合要求　项	
4	观感质量监督抽查结果	监督抽查　项 应得　分 实得　分 得分率　%	
监督站核定等级：　□优良　□合格 监督站站长： （公章） 年　月　日			

本标准用词说明

1 为便于在执行本标准条文时区别对待，对要求严格程度不同的用词说明如下：

1) 表示很严格，非这样做不可的：

正面词采用“必须”，反面词采用“严禁”；

2) 表示严格，在正常情况下均应这样做的：

正面词采用“应”，反面词采用“不应”或“不得”；

3) 表示允许稍有选择，在条件许可时首先应这样做的：

正面词采用“宜”，反面词采用“不宜”；

4) 表示有选择，在一定条件下可以这样做的，采用“可”。

2 条文中指明应按其他有关标准执行的写法为：“应符合……的规定”或“应按……执行”。

引用标准名录

《建筑工程施工质量验收统一标准》GB 50300

中华人民共和国行业标准

有色金属工业建筑工程质量检验评定统一标准

YS/T 5430－2016

条 文 说 明

制 订 说 明

《有色金属工业建筑工程质量检验评定统一标准》YS/T 5430—2016经中华人民共和国工业和信息化部2016年4月5日以第17号公告批准发布。

本标准统一和规范了有色金属工业建筑工程质量检验评定的组织程序和验评方法，是有色金属工业建筑各专业工程质量等级确认程序和方法的统一准则。

为便于广大设计、施工、生产、科研、高等院校等有关单位和人员在使用本标准时能正确理解和执行条文规定，《有色金属工业建筑工程质量检验评定统一标准》编制组按章、节、条顺序编制了本标准的条文说明，对条文规定的目的、依据以及执行中需注意的有关事项进行了说明。但是，本条文说明不具备与标准正文同等的法律效力，仅供使用者作为理解和把握标准规定的参考。

目　　次

1 总　　则

1.0.1 本条概括性地阐明了编制本标准的目的和意义。

1.0.2 本条阐明了本标准的适用范围。

1.0.3 本条明确了本标准与可能涉及的其他相关国家标准的关系。

2 基本规定

2.0.1 为保证工程质量，本条强调了做好施工现场质量管理的体系保证，明确了检查记录方法。

2.0.2 本条对有色金属工业建筑工程质量控制及检验评定的基本原则进行了8个方面的规定，涵盖了人、机、料、方法、环境及现场施工的全过程。

2.0.3 本条依据《中国有色金属工业建设工程质量监督管理规定》，明确了有色金属工业建筑工程所实行的质量等级核定制度，以及检验批质量按主控项目和一般项目检验评定，质量等级分为合格和优良两个等级，观感质量评定等基本要求。

2.0.4 本条对参加工程施工质量检验评定的各方人员的资格进行了明确规定，体现了以人为本的思想和原则；明确了未实行监理的项目如何履行监理职责的问题。

2.0.5 现行国家标准《建筑工程施工质量验收统一标准》GB 50300对于“检验批的质量检验抽样”及质量检验评定的划分等问题，均有专门条款做了详尽的规定，故本条根据《工程建设标准编写规定》，对现行国家标准《建筑工程施工质量验收统一标准》GB 50300 进行了引用。

3 工程质量等级评定

3.0.1 本条规定了检验批质量合格、优良的评定标准。

一般项目中的“检验项目”系指可定性检查的项目，“检测项目”系指可定量检查的项目。

3.0.2 本条规定了分项工程质量合格、优良的评定标准。分项工程的验评是在其所含检验批验评的基础上进行的。

3.0.3 本条规定了分部工程质量合格、优良的评定标准。分部工程的验评是在其所含分项工程验评的基础上进行的。

3.0.4 本条规定了单位工程质量合格、优良的评定标准。单位工程的验评是在其所含分部工程验评的基础上进行的。

3.0.5 本条规定了检验批、分项工程、分部工程、单位工程验评所使用的记录格式。

3.0.6 本条分别规定了返工或更换、返修或加固补强及设计单位核算认可等4种工程质量不符合要求时的处理方法。

3.0.7 本条专门强调了通过返修或加固补强处理仍不能满足安全使用要求的分部工程、单位工程严禁验评的规定。

4 工程质量检验评定的程序和组织

4.0.1 检验批的检验评定是单位工程质量检验评定的最基本单元，本条明确了其检验评定的组织者和参加者。即组织者是专业监理工程师，参加者是施工单位项目专业质量检查员、专业工长等人员。

4.0.2 分项工程是单位工程质量验评定的第二个层次，组织者是专业监理工程师，参加者是施工单位专业技术负责人等人员。

4.0.3 分部工程是单位工程质量检验评定的第三个层次，由于有色工业建设项目一般规模较大，多个分部工程在同一时间段检查评定经常发生，所以也可由总监授权总监代表组织分部工程的验收验评。其参加者由施工单位项目负责人和项目技术负责人等构成。

因各分部工程的专业性和特殊性，工程勘察、设计单位项目负责人和施工单位技术、质量部门负责人应参加地基与基础分部的验收检验评定。

主体结构、节能及涉及结构安全和使用功能的分部工程，设计单位项目负责人和施工单位技术、质量部门负责人应参加其验收检验评定。

4.0.4 本条再次体现了各个层次的工程质量检验评定均应在施工单位自检评定的基础上进行的基本原则。

4.0.5 单位工程的竣工验收是单项工程验收的基本组成单元，是对单位工程质量控制的最后一关。是对工程实体质量、使用功能和应归档项目文件的全面检查，对单位工程质量的总体综合评价。也是建设单位为维护自身和国家利益，确保工程安全投入使用，履行项目法人质量责任的重要程序。并体现了“验评分离、强化验收、完善手段、过程控制”的指导思想。

4.0.6 依据《中国有色金属工业建设工程质量监督管理规定》，有色金属工业建设工程实行质量等级核定制度。故本条规定了单位工程完工后的质量等级综合评定及质量等级核定的具体程序及其相应的责任者。即：

(1)单位工程完工经施工单位自评后，提交总监理工程师，组织建设单位参加进行单位工程质量等级的综合评定。

(2)在上述基础上由施工单位向有色工程质量监督站提交单位工程质量等级核定申请表，申请质量等级核定。由有色工程质量监督站组织单位工程的质量等级核定，签署核定意见。

4.0.7 本条明确了总包单位在分部及单位工程质量检验评定中的参与责任。